劉福春・李怡 主編

民國文學珍稀文獻集成

第一輯

新詩舊集影印叢編　第48冊

【陳�卷】

愛的果

上海：時還書局 1924 年 5 月版

陳勷 著

【沙刹卷】

水上

1924 年 6 月版

沙刹 著

花木蘭文化出版社

國家圖書館出版品預行編目資料

愛的果／陳績 著　水上／沙刹 著 — 初版 — 新北市：花木蘭文化出版社，2016

〔民105〕

90面／172面；19×26公分

（民國文學珍稀文獻集成．第一輯．新詩舊集影印叢編　第48冊）

ISBN：978-986-404-622-5（套書精裝）

831.8　　105002931

ISBN-978-986-404-622-5

民國文學珍稀文獻集成．第一輯．新詩舊集影印叢編（1-50冊）

第48冊

愛的果
水上

著　者　陳績／沙刹

主　編　劉福春、李怡

企　劃　首都師範大學中國詩歌研究中心
　　　　北京師範大學民國歷史文化與文學研究中心
　　　　（臺灣）政治大學民國歷史文化與文學研究中心

總編輯　杜潔祥

副總編輯　楊嘉樂

編　輯　許郁翎

出　版　花木蘭文化出版社

社　長　高小娟

聯絡地址　235 新北市中和區中安街七二號十三樓
　　　　電話：02-2923-1455／傳真：02-2923-1452

網　址　http://www.huamulan.tw　信箱　hml 810518@gmail.com

印　刷　普羅文化出版廣告事業

初　版　2016年4月

定　價　第一輯1-50冊（精裝）新台幣120,000元

愛的果

陳績 著

陳績，生平不詳。

時還書局（上海）一九二四年五月發行，原書三十二開。

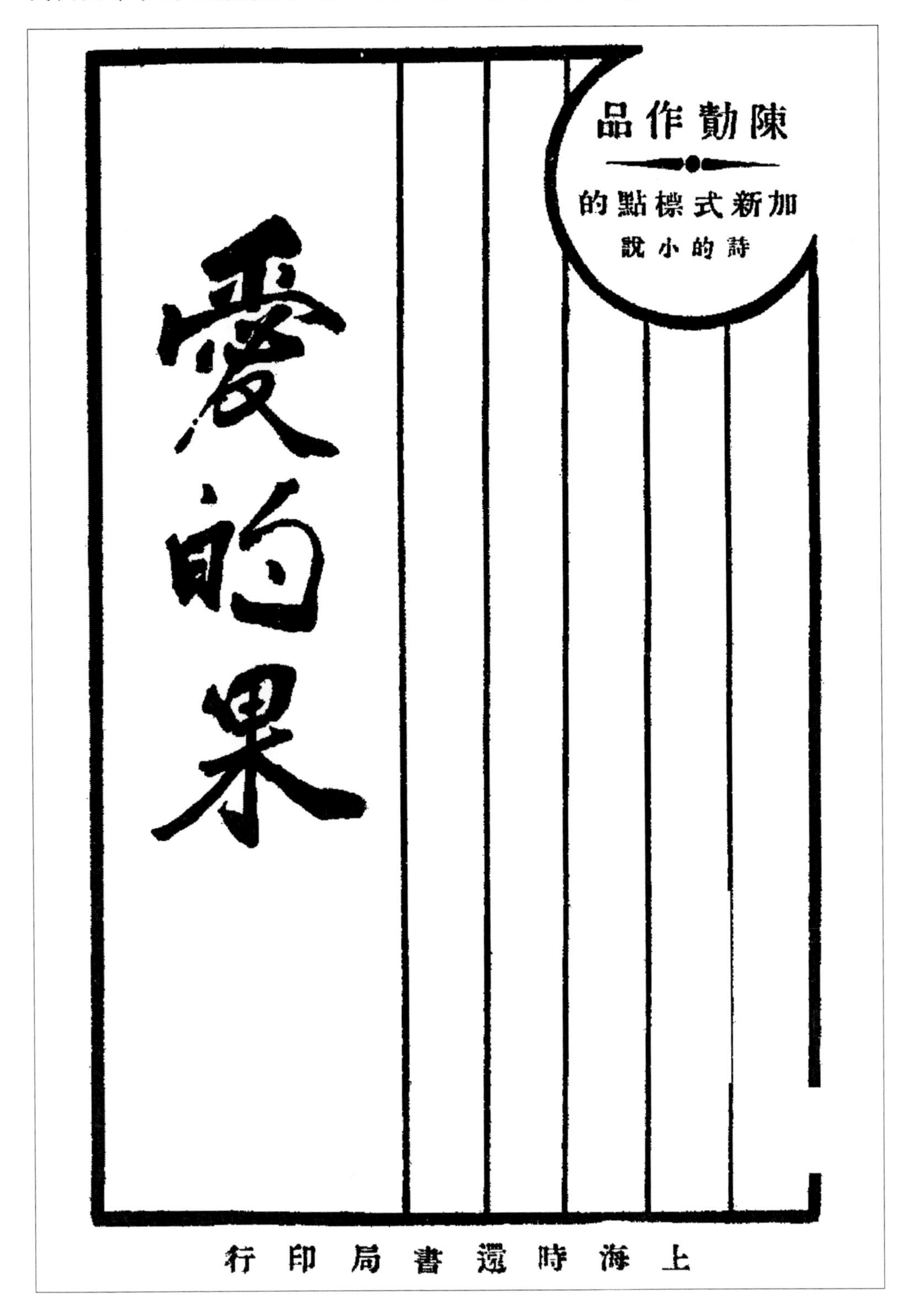
陳勤作品
加新式標點的
詩的小說
愛的果
上海時還書局印行

愛的果

一九二二年和一九二三年的工作

著者陳勣肖像

詩序

（一）

讀者呵！
前面是玫瑰的刺兒，
回來吧！
回來聽我唱這杂碎的詩兒，
解答你苦痛根源中的一切。

（二）

句兒落在紙上，
用心靈中的燈焰，
燒成一線火紅，

指示出可畏的迷途。

（三）

青年人啊！
自覺吧！
悲哀——
　愛之神。
沉淪——
　愛之果。

（四）

春天的樂園中，
花兒憔悴了；
鳥兒飛散了，

無限的旅客啊！
你們別處去求伴侶吧！

（五）

淚是怎樣地流？
血是怎樣地滴？
心是怎樣地恐怖？
上帝！
請你告訴我。

（六）

失望嗎？
別要訴苦。
世界上沒有你的同情者，

就若是清曉江頭之霧，

（七）

園丁！

你掃吧；

掃去地上不堪回首的落紅；

掃去心上永難泯滅的回憶。

三，五，一九二四，潘錫純在揚州

芮序

叔揚把他近年做的長詩彙成一集，名叫愛的果，囑我替他做篇序。我想：以我這樣拙劣的文字，實不足以代他鋪張；但他既是我的好友，我當盡一些介紹的責任，所以應允了他。

要批評詩的好壞，首先要明白詩的作用和來源：詩本為言語之一種，其作用在達吾人之意，人類的意念，隨感而起，複雜得至不可名言，所以言語雖可達意，然意有不能盡宣者，就必得咨嗟咏嘆，以期發洩無遺，而後感情始快，當夫咨嗟咏嘆的時候，從主觀方面說，不過是語言的助興，僅期婉轉動聽能了，可是嗟嘆不出，偶而一顛一挫，無意中已成了協韻之調，這種協韻之調，却係純乎自然，就是所謂歌謠了。詩的歷程中，——從古至今——雖則經過許多改變，然而他的始祖，却是歌謠。自中國新文學的革命的運動以後，新詩的聲淚極嘆於一詩，這的確是我們最期待的。因為詩的作用，是在發抒作者的情感，喚起讀者的想像，一經限於音節，拘於格律，便往往感到情緒過重，容積太小。——由此，新詩的價值，立可明瞭。因而我可以定一個簡略的詩的定義：詩貴具體的描寫；能興發感情；能引起想像；不含有「道學」的；不含有「哲理」的，如不合這以上的幾個條件，就不得謂之好詩。

現在國內文壇上，看來很覺蕭條，一班作家的詩，每每帶著幾分做作氣；情景是字面上的情景，興趣是他專有的興趣。這種我卻不敢斷定是真的文學。叔揚有時和我談到，竟至使他悲觀。他平日極嗜好文學，但輕易不肯發表，嘗以莫泊桑為師。這次他竟以客觀的實相，從主觀上映射出愛的果產物來；使我歡喜到不可言說，從他這本集子裏，有幾個獨得的地方，分述如下：

第一，就是真實而深感：有些動人的地方，雖是虛而不實，卻是感想極深，有些地方又是字字逼真，沒有一句是奇想，如在目前的寫景，動人心緒的寫情；別人實不可及，近人批評詩經和楚詞的優劣，說詩經裏的國風，小雅，沒有一句不是本地風光，卽使寫實派的畫家也不能畫出。而楚詞是幻而不眞，但是感想極遠。照此看來，說愛的果是詩經和楚詞的結晶，亦無不可，——這幷非我信口雌黃，無的放矢，設使細細讀了，却有這種知覺！

第二，是潔樸無疵：愛的果裏全沒有巧言妙語，却是尋常的話，且都是純乎自然，毫無揑奏的弊病，所以我敢說牠只有天趣，不見人工；是裸體的美，——自然的美，沒有修飾的惡習。

第三，是在於體裁方面：愛的果的體裁，也可以說是詩，也可以說是小說，因爲全集只敍了一樁愛的事實。——從質上言，是詩；從量上言，是小說。——要談到結構方面，尤是一氣呵成，令人讀不忍釋。至於能興發感情，喚起想像，富有感化力，那更不消我說了。

我去年曾讀過愛的果一遍，現在印象已是模糊，不能說得透徹。——叔揚，請你原諒我！

叔揚和我交了幾年，他的性格我很知道。他很善於詞令，又長於文學。孔子嘗曰獨許子貢子夏可與言詩；就因子貢以言語着名；子夏以文學着名。而叔揚善於言語，又長於文學；可知他的詩有不尋常的價值了。

一九二四，三，六。

芮禹成，在揚州。

馬序

我們要澈底了解一個文學家的作品，必要明白作者的個性；因為一篇文學的作品，是充塞着作者的生命，那一頁一頁的書，都和作者個性相感應的。所以我們讀文學作品，簡直可說是與作者個性的接觸，所以我們讀到偉大的著作時，倘若興趣一經引動我們對于作品所顯示給我們的，（作者的個性）立刻就覺得不滿足了，我們濃烈的願望，就不知不覺的要想知道些作品裏所顯示給我們之外的。（如作者的人生觀，藝術的思想等等）但是這個願望很難滿足，因為我們既不認識作者，那能達到這個願望呢？所以我們讀一篇文學的作品，我們總不能十二分了解，這個就因為我們對于作者的個性不能完全明白的緣故，假若我們能得着作者的傳記，我們這個慾望就易滿足了。因此我們可以知道作者的傳記，對于讀者是有極大的幫助。譬如我們預備研究托爾斯泰 Leo Tolstery 的作品，我們先可把關于托氏的傳記讀完，一定可以比未讀托氏的傳記而先讀托氏作品的人，能夠多了解些。

我親愛的朋友陳叔揚將一九二三年作成的愛的果，拿出來公開了。他囑我做篇序，我想這本詩集的價值，讀者自會有相當的批評，無庸我替他作無味的讚詞，所以我這篇序裏，預備將作品裏所顯示之外的供獻給讀者，或者可以對于愛的果的讀者有些幫助的地方。

我認識叔揚最早，一九一八年我和他在縣立高小同學，那時他才十四歲，是個活潑快樂的兒童，臉上時時呈現着和藹的笑容，他那時只覺着快樂，却不知世間有悲哀的事呵！他對于功課，也肯孜孜用功，教師們都很喜歡他，到了第一學年終了的時候，他的學業成績，中文，英文，算術，都是列在甲等，而他的國文在我們班上更算是佼佼的了。

一九一九年，是「五四」風潮正盛的時候，叔揚和我都在學生會盡了點義務，而作事精細富有勇氣的叔揚，頗受學生會裏的人讚美，他的最親愛的而對于他學業上品行上有極大助力的佘味秋君，也就在這時訂交的。

「五四」學潮對于叔揚的思想也有極大的變動，那時他更富于活潑勇敢的氣象，一九一九下半年，叔揚和我集了幾個同學組織了一個「童話社，」并且發行了一種刊物，叫做童話，叔揚對于文藝的興趣，就在那時被引起了。我記得他在童話第一期上做了一篇發刊辭，詞句清麗，意思雋永，我們都很驚奇他的智慧，及至出版之後，也博得讀者許多的讚詞，極其虛心的叔揚，不肯以當時的虛榮爲滿足，對于國文更外潛心修養，從此以後更以白話作文，在童話上陸續的發表了些小說和詩歌。那時他滿受着「五四」風潮的影響，他做的小說都帶着愛國的色彩，如「夢斯國賊」「理想的中國」「忘國後」等篇，惜乎「童話」皆散失掉，不能錄出，這是我對于讀者抱歉的地方。

一九二一年，我和叔揚在高等小學畢業了，而且一同考入揚州第五師範，叔揚進了師範半年，他的態度陡然改變了。終日的蹙着眉頭，默默的不常說話，委靡的精神，籠罩着他的面龐，從前活潑快樂的心情，如今被悲哀浸透了。

叔揚浸在這悲哀之海裏時，就產生了這本愛的果的詩集，這本詩集。簡直可說是悲和哀的結晶了。親愛的讀者，他悲哀的事實，無庸我說之，這薄薄的冊兒，將給你一個圓滿的答覆！

叔揚的愛的果脫稿時，他的性情又大變了；由從前的悲哀而轉為現在愛的熱興，好久不來的笑之神如今又時時的呈露在他的面孔上。親愛的讀者！他所以由極端的悲哀而轉為愛的熱興的事實，也無庸我說了，這薄薄的冊將解答你的懷疑！

一九二四，三，六，馬濬知在揚州。

自序

我在十七歲時脫離高小來到中學裏尋生活，單調的人生，乾燥的環境，過為一點不起勁，朋友方面，除了幾個志同道合的而外。沒有一個能言深交的，所以終日默默，便造出這 Sublimation 的東西出來。——這是我自己的壞癖性，現在正努力地更改呢。

進校的一年後，這册子便作成了，自信牠不是詩，完全是散文，不過分行寫的罷了；換句話說，有詩的形，而沒有詩的質，這也是我藝術幼稚的原因，但皆出自內心的要求而作的，毫沒有哲理的意思，人們看去，也用不着想像力去摸索，記得成仿吾先生說：『……詩也要人去思索，根本上便錯了，我們讀詩，與對畫聽音樂，原則上是一樣的……』這話說得是何等痛快！所以我寫詩也不問什麼格律，也不要什麼哲理，只知道說我心中要說的話，儘量地說，至于什麼「地方色彩」「時代精神」更一點沒有了；讀者可目為一篇空城旦書」也可以的！

我是不問牠的優劣，只知道文學不是個人的私產，是人類的公產，萬不能當作古物收藏，必需公開外來，好讓大家看看，所以我竟大胆把牠發表了，

最後，我十分感激替我作序的諸先生們！

南巢叔揚陳勍，在揚州五師，

一九二四，三，七。

愛的果

（一）

我第一次到你家去的時候，
你底媽笑嬉嬉地對你說：
『寶寶！
你出來會會小弟弟吧？』
你羞答答地由房中出來，
向我一鞠躬。
我一見了你
就喊聲『姐姐！』
你那臉兒爛縵地向我微笑着，

眼兒晶瑩地向我微瞟着。
可是你那一笑，你那一瞟：
到如今還印在我腦紋上。

自此以後，
一天天的和我親密了。
我那時不曉什麼叫做「愛！」
什麼叫做「情！」
只曉得拖你到美麗的花園裏，
自自在在地游嬉去。
我一天不看見你，
我就要問你的姆媽；

你一天不着見我，
你就要問我的姆媽。
回想我們倆那樣底愛，
是何等底純潔呵！
何等底自然呵！
我們倆那樣底情，
是何等底甜蜜呵！
何等底濃厚呵！

（二）

你底表弟見我倆這樣，
他的妬意就發生了。
常常的欺辱我，

愛的果

背地裏我不知被他打了多少？
但是你很愛護我的，
時常拿很溫和很柔蜜的話來安慰我。

曾記得有一次，
他又來打我了；
你實在看不下去，
便去告訴他的母親。
他被他母親責罰後，
他就來罵你。
叫你『走江翻江，
過海掉在水裏淹死了。』

4

你總不得嫁給小哥哥！」
你聽了這話，
氣得臉都白了，
但是仍然地安慰我，
撫着我的肩，
摸着我的臉，
恐怕我受了他的氣。

（三）

每逢我倆和他們游嬉時，
你總要愛護我，
我總要幫助你。
可見那時我們倆的心，

已鎔成一個了。

有一次我坐在你懷裏柔弱地問你：
「我底好姐姐！
你的心怎樣地這樣慈愛？
我的心恐怕就不能這樣吧？」
你含笑地回我道：
「小弟弟！你別這樣說，
你底心就是我的，
我底心就是你的。
我心慈愛——你心也慈愛，
有什麼兩樣呢？」

（四）

我剩着無人看見我們的時候，
我便用力地吻你一吻，
你含羞帶怒地向我說：
「好弟弟！
你不要這樣，
給旁人看見，
又要說我們了。」
我含笑地回道：
「這不要緊的事，
我在家裏時常和我的姆媽親吻呢！……」
你聽了我這話，

笑得不可遏止，
忸怩地伏在胸前，
雙手抱着我的頸，
那晶瑩的眼睛要靠近我的眼睛了。

（五）

我和你天天在一塊兒，
也不曉得別後底煩惱。
有一天你的姆媽忽然對我說道：
『阿揚！我們要囘北京了，
看你天天到那塊去頑耍？』
我還笑嬉嬉地問道：
你囘北京了；

姐姐可去吧？」
你的姆媽回道：
「自然要和我一陣回去的；
但是這次回去，
不知什麼時候纔得來呢？」

我聽完了這話，
就用眼偷偷地瞟着你，
看見你坐在那椅上，
好像喪失了精神一樣。

我沒精神的問你道：

「親愛的姐姐！
你回北京了，
但是把我一人擺在揚州，
教我怎樣弄呢？
親姐姐！我能和你一陣去罷？」
你的媽媽聽了，
緩緩地笑着，
教我不要說癡話！

（六）

你聽你媽媽說要走，
更外的悲慘起來了。
眼中的淚，

泉一般地湧出來。
我看見你這樣，
就緊緊抱住你的腰，
你也把我底頭使勁摟在懷裏。
你那滾熱的淚珠，
滴滴地落在我臉上——！
我也出淚了——

幾條淚合成一大條淚，
都流到我嘴裏來了，
比最好底醬油還要鹹些
你用手帕將兩個底淚痕

都擦乾了，

只是留下四個紅眼睛。

（七）

臨別的那一天，

我還緊緊地握着你的手，

哭着問你道：

『親姐姐！

你眞走嗎？

你走了，

我和那個去談心？

我和那個去頑耍？

唉！爲甚原因，

不帶我去呀？—
你只是向着我哭，
一句話也不回答我。
你底媽媽哭了；
你底外婆哭了；
你底舅母也哭了，
一家都哭了——
連僕人也哭了——
只是你那頑皮的表弟，
依然在那裏笑着頑着，
還催你快點離開這裏。

（八）

唉！……

別後的痛苦！

這次可算過嚐了，

說不出的酸，甜，苦，辣呀！

有時我夜裏夢着和你頑耍，

手挽手的——跑；

臉對臉的——跳，

醒來時手摸床裏，却沒有個你。

我睡覺時，看見枕邊有個你；

我飲茶時，看見杯中有個你；
我對鏡時，看見鏡後有個你；
我讀書時，看不見書中的字——只看見有個你；
唉，親愛的！
你爲什麼東躲西藏，
使我看不清楚呀？
唉！再也看不見了！
再也看不見了！

然而你那可愛的面龐，
終是印在我底心裏——
到如今還記在我心裏。

哦　我死後還記在我心裏。——

（九）

你在北京寄張明片給我，
說『此地兵變了，
我們一家要到上海了。』
你可曉得我看了這句話，
歡喜到什麼樣子？
恨不能立刻到上海，
敘敘四年來的離情。
唉！可恨做不到呀！
祇得望你快快地回揚州

哈！
果然你要到揚州了。
因爲你底姆媽思念你底外婆，
想到揚州來看看她，——
她年紀老了。——
你并且也一陣來，
唉！你可曉得我怎麼地歡喜？

（十）

你來了嗎？
你眞來了嗎？
我的親愛的！
你果眞的來了嗎？

我現在不是從前了；
我的年紀也不小了——今年十三歲了。
我倆若在一起兒，
不能像從前那樣親愛了，
也不能像從前那樣自自在在地游嬉了。
——恐怕你姆媽要不許了——
定要講些做作的禮節，
不能從前那樣不避嫌疑！
回想起來，
多麽的悲傷呀！

（十一）

你回揚州的那一天，
——

愛的果

我特地請假去看你，
我一見了你，
一句話也說不出來，
我看着你，你看着我，
四個眼睛，兩條視綫，
整整對了半天，
你也無言，我也無言。
你底態度是泰然——
不像四年前——
又怎能比我腦筋裏的那個你，——
天眞活潑呢？

你低頭懶洋洋地摺着衣襟，
態度不大自然。
我忍不着的問你一聲：
『一路可平安？』
你含羞帶笑地瞟着我說：
『路上到很平安！
你家庭人可好吧？』
可是你那一笑不比從前，
不然我受了凍的心那會熱呢？

（十二）

我每逢星期，
總要到你那兒去

談談六天來的離情、
可恨那不知情的鐘，
只是滴搭滴搭地催我走。

記得你有時指着鐘向我說道：
『我若把牠的擺停了，
我們不是還可以多談談嗎？』
唉！此時囘想那句話，
這裏面含了許多的深情密意呀！
又天眞，又爛漫，
不是那無情人能說得出！

（十三）

愛的果

我放了春假，
我倆每每的坐在月下，
合奏着愉快之歌。
我底歌吻着你，
你底歌吻着我，
我和你底靈魂也融合了。

你底歌聲擁抱着我的心靈，
我浸入你歌聲裏洗了浴，
我所有一切的苦惱和憂鬱，
都被你的歌聲洗掉了。
又忘了別後苦痛的滋味，——

22

是甜，是酸，是苦，是辣了。

（十四）

過了八九個月，
你到又要回上海了。
我底姐姐便約你拍個照，
以留後來的紀念，
你也邀我去加入。

你和我底姐姐肩並肩地站着，
我就坐在你的脚下
親親切切地靠着。

像這樣的愛，
眞是出于自然呵！

哦！維那司呀！
我誠誠懇懇地謝謝你——
謝謝你賜給我們倆底恵愛！

（十五）

聽說行期定了，
你的淚泉裏愛露又來灌溉我心田上的情苗，
天天只是向着我盡力地灌溉。
有時我用舌頭去舐你的臉，
你的淚不是像蜜糖那般甜，

只像黃連那般苦。
我只是用力的去舐，
也不問苦和甜。

（十六）

送你去後的我，
終日昏昏——
好似失落了心的人兒一樣。
恐怕我的心——跳着——躍着，
跟你後面去了。

心去了，
只落了滿腹的煩悶呀！

揚州風景雖好，
可惜沒有你陪我去覽賞，
我只得『向歡場而灑淚』了！
我底親愛的！
我戀戀不捨的親愛的！
你的心愛的弟弟要哭了！
你可曉得罷？

（十七）

別後纏纏綿綿的情意，
我到又來嚐了，
令我好難過呀！

但我怕嚐這樣別離滋味，
我甚至于以後不敢和你相見了。

唉！最後的辦法，
我們倆不要太親密吧！
唉！不要親密！
可是又怎樣能不要親密呢？

（十八）

我緩步在月光裏，
祗是低頭思念你。
有時我向玉潔的月禱告道，
「玉潔的月啊！

天下沒有個人不讚美你；
因爲你能照透人們的心靈。
你爲甚不把我底親愛的——影
照來以慰我懷呢？
請你明天把伊的影帶來吧！
不然我要沉溺在憂悶的海裏了
我永久淪沒了。
我已經預備接伊，
你快點把伊底影帶來吧！」

（十九）

親愛的呀！
我夢裏會見你，

和我坐在一張凳上，
唱着快樂之歌，
吻着甜蜜之嘴；
醒來却聽見歌聲，
只是沒有你的嘴。
我只戀戀地想再夢着，
但夢門緊緊地閉着，
終撞不進那可愛的夢境了。

（二十）

你來信淒慘地說：
「……我的弟弟，
我天天想着你！

想起在揚州的時候，
是何等親愛？
何等愉快？
于今我獨居海上，
度這無進益的日子，
眞是悶煞我也！
若是沒有我姆媽，
我定去做個尼姑修修行；
免在這專制家庭之下。」
我看了此話，
勉強寫幾句安慰你，
教你不要抱消極——

前途遠大。

（二一）

我一接到你的愛的結晶的信，
心花兒就怒放；
總要捧讀了又朗誦，
然後才安放在那來函篋中。
我若寫信給你，
你不覆我，
我怎能不疑惑你呀？

你曉得你的信——
就是你的身外的你，

信入我的眼簾，
就是你和我笑嬉嬉地面談。
信放在我手裏，
就是你和我甜蜜蜜地握手。
我倆仍是愉快，歡喜！

（二二）

我戀戀着你的時候：
我就願變隻活活潑潑的小鳥，
飛在你面前，
唱隻極歡愉讚美歌你聽，
好讓你心曠！
我又願變尾綿繡而燦縵的金魚，

游到你面前，
炫耀極美麗的尾給你看，
好讓你神怡！
我又將我的心當做花園，
鄭重地交給你——
供養那芬芳的愛之花，
喜笑地結着美妙的果，
發出香噴噴甜蜜蜜的香氣來，
洗掉你心中的煩悶！

（二三）

你和我以筆相談，
有二年多了。

我思念你回揚州的念頭：——
又有動機了。
祇是時時寫信給你，
問你可有機會？

有時我在街上看見個妙齡女郎，
背像很有點像你；
心裏就疑惑是你，
還責備你不預先通知。
便大踏步向前，
豈知令我失望——
懊喪不止！

（二四）

你底外祖母病重，
你和你底姆媽要到揚州。
我聽了：
一則以喜，一則以懼；
喜的是你到揚州；
天天有得會面。
懼的是你外祖母年老，
假若她命不保，
以後你永久不得到揚州，
這次可算最後的會面了！

我還是禱告上帝，
延長你外祖母的壽命吧！

（二五）

我了隔三年未曾會面的你，
心中滿滿裝着無限底愛，
你問我這愛從那裏來的，
却不曉得！

我見了你的面，
不知怎樣歡喜！
滿臉心事。
也不知從何說起！

我細瞧你黃花瘦的玉顏，
我知道你是有病。
你曉得我絲絲地情緒，
低低地只是沉下去。

我瞇瞧窺着你心裏只是那樣地想：
「可惡的病魔呀！
你為甚不來和我奮鬥，
要來擾亂可憐的伊呵？
你儘管來和我鬥，
讓她幸福無疆！」

（二六）

愛的果

我放暑假了，
天天到你那兒去；
我睡在籐椅上，
你坐在我身旁。
有時談談天，
有時講講地，
有時我也講些愛情的小說子給你聽，
你聽到悲時——你也悲，
聽到喜時——你也喜；
猶如身歷其境！
雖火炎炎底太陽，

周旋在天空之中，
我也是天天到你那裏去，
直談到皎月當頭，
我們纔各各分手！

（二七）

我忽然病了，
不能和你談啦。
你就常常地到我這裏來，
帶些綠濃濃的葉
襯着紅淡淡的花把我玩，
談些神怪極有趣味的故事給我聽。

唉！我的親愛的！

你幷不要帶花來給我玩

講故事給我聽，

我只要一見了你的面，

一觸到你的手，

我身上的細胞個個都爽快了，

我的病也就立刻好了。

你是我的「安慰的使者」呵！

你可知道罷？

（二八）

有時你忽然問我：

「現在怎麼沒有從前那樣愛我？」

愛的果

咳！我聽了這話，
心裏好不悲傷！
對你說不出的痛苦。

我本來是很愛你的——
十二分愛你——
我心裏雖然愛你，
面上却不敢愛你，
我倘若愛了你，
你母親雖不說什麽，
你那表弟又來誣衊你。
你的名譽掃地，

我又何忍呢？
每天只得和你淸談，
幷不敢像從那樣無忌憚！

（二九）

你最喜歡看小說——
而尤喜歡看新文化的小說，
有時你和我借着，
我雖沒有——也要在書坊裏帶幾本給你。
因爲你看了：
能開你的心靈，
能消你的煩悶，
又能知道外面的潮流趨勢，

——所以我很願借給你看的。

（三十）

我倆坐在後園的竹下，
我無意中談到將來的婚姻問題，
想你給個圓滿的答覆。
那知你臉一紅羞答答地回我道：
「唉！我的家庭專制，
你是知道的。
現在祇有我慈愛的母親，
然而她尙不能爲我作主。
因爲我底祖父母非常的頑固，
到如今還不讓我在外求學，」

這就是明證了，
還談到婚姻自由嗎？
唉！我想到這裏，
就不顧存在這種沒希望沒聲息的社會上。」

談到這裏，
你淚落了！
我知道希望絕了，
見你哭啦，
我也哭了。

（三一）

你說你傷心，

我還比你更傷心！
囘想我從九歲到現今——
中間隔了整十年。
我和你的愛情一天濃厚似一天，
眞是如同胞手足。
如今你有這樣的大煩惱，
永久沉溺在憂悶之海裏，
我不能來救你，
你看我的心如何不傷？
如何不痛呢？

（三二）

我雖說那時天天會見你，

還是談不了我心中的話；
有時我問你：
「假若你回去了，
我肚裏的這些話，
豈不是要把我的肚皮漲破了？」
你滑稽的回我：
「你可以用刀把肚皮破開，
把「話囊」拿出來，
放在我的箱子裏，
讓我帶回去，
我要和你講話就把牠拿出來，
豈不是個妙好的方法嗎？」

你的姆媽聽了，
笑得格格地——
說你是個癡孩子！

（三三）

迅速的光陰如跑百碼一般地過去了，
我的開學期也近了。
最後的那一天，
我便和你作最後的長期談話。
可恨那不知趣的太陽，
只是催逼我走。
你恨着要用根長釘，

釘着太陽的中心，
好讓我倆多談幾句心。

把我送出大門，
你要我每逢星期早點來，
我要你一星期和我多通幾封信。

（三四）

我的最親的愛人呀！
你到又要走了嗎？
唉！說不出的痛苦和煩悶。
——幾時說得出？
恐怕死後都說不出！——

我永久地就住在這愁園裏了。
親愛的——我哭了！
咳！我何以哭的？
就是現在的環境令我哀哭的。
即使有時和你笑；
親愛的——
那也是我希望中的將來，引我強笑的！

（三五）

你我生在這滿佈醜惡的世界上，
你我住在這久滔愁苦的社會裏；
到那兒去尋快樂？

所有的快樂，
都沉沒到海底了。
只有痛苦是驅逐不掉的！

回想起來，
你我幼時何必要認識，
既認識；又何必要親愛？
思至再，
心如刀割。

我戀戀不捨的愛人呀！
你心愛的人兒要哭了，

於今心已碎了。

（三六）

你既然使性地愛我，
我焉有不愛你呢？
以爲有這樣的愛因，
將來必定要有個美妙的愛果。
那知你的祖父母，
腦筋裏充滿了『階級底制度，』
要帶你選擇個有錢而你不愛的他呢！
唉！親愛的！
你怎麼生在這「傀儡式」的家庭裏？
他們爲什麼將你當作物件——

實行那「買賣式」的婚姻呢？

唉！親愛的！

我何嘗不想打破那顛撲不破的制度呀！

唉！我是個怯弱者，

無力呀！

很願一班有力的青年，

快逐那社會上的惡魔！

（三七）

我是個可憐的小綿羊，

心裏滿滿的裝了煩悶，

無處去發洩，

只有和你訴衷曲；

如今你走了，

我煩悶依然還是我煩悶。

有時我幻想着：

我願和你變作一對白雲鳥，

飄飄蕩蕩地飛在長空中，

是何等的自在有趣啊！

（三八）

你臨走的那一天，

我請假去送你，

你一見了我；

眼淚撲簌簌的。
我當時暗中去拭淚，
恐你見了更傷心！

臨別時你對我說：
「親愛的朋友終須別！」
此言尚在我耳邊。
送行時，
若無言可說，
唉！實在也言難盡！

（三九）

我尋遍了人間，

走遍了世界；
終尋不出像你那樣的愛！

你的慈愛把我圍住了，
你的情絲把我綑住了。

唉！像這樣的愛，
儘夠斲喪我的前途。

唉！
親愛的你可知道吧？

（四十）

黑沉沉死去的世界，
萬籟俱寂。

我獨自徬徨在大操場上，
什麼都看不見，
惹起了我無限的悲哀，
我似乎困陷在死的恐怖裏！
我索透了人生，
實在是無趣味。
命運呀！
你真牽制我嗎？
唉！……
沒奈何只得聽你審判罷！

（四一）

你的祖父到揚州，——

他到我校裏來會我，
忽促間談到你的婚姻問題；
他很願意地告訴我。
他說：『我有個姪孫就住在揚州，
他家中有一百萬銀子，
前回已有人去議過親。
他今年已三十二歲了，
一切妝奩都說好，
不過嫁過去要領養他八個兒子，
這是我有點不情願。』
當時我雖勉強笑着，
眼淚只是向肚裏淌，

很替你有點婉惜！

（四二）

親愛的！
你不是朶活活潑潑地鮮花，
長在樂園裏的嗎？
你那可惡的家庭，
硬將你移植到愁園裏。
唉！照這件事看起來，
人生在世有什麽樂趣？
料想你聽了，
必定也是不情願！

無奈你底家庭頑固，
硬將你推下火坑，
你無力奮鬥，
我也無力救你。
悲傷啊！
我是永久的悲傷啊！

（四三）

你寄給我的愛的結晶的信，
數數已百七八十封了。
現在我很不願見牠，
我一見了牠，

我就鎖成一字愁眉，
沉溺在憂悶之海裏；
因爲你那信上，
完全是血和淚的結晶。

（四四）

我浸在你溫和愛的波裏，
整整十個年頭，
我一切的痛苦，
都被你的波洗掉了。
我全體的神經纖維，
都流動着生的樂趣！

親愛的！
我如今以後呢？
唉！…………
我只是孤獨啊！
怎能如我的願呢！

（四五）

我的親愛的！
我有幾句最後的話——
是十年來的愛的結晶——
要和你說的！
『你現在處在這專制魔王的勢力下；
你要拿定宗旨，

向前奮鬥，
不可隨波而流，
以致消滅了終身的幸福。」
這幾句話，
是做我的謝儀：
謝謝你十年來代我的愛，
謝謝你十年來送我的情；
并祝你「萬壽無疆！」

（四六）

我住在這愁園裏，
永久的住着了。
「愛的果終久要結的啊！」

這幾句恐怕不的確了，
唉！親愛的青年呀！
我一失足成千古恨，
就是犧牲了我不要緊，
只願諸君以後千萬不要學我．
好好地奮發你們的青年之花能！

一九二三，五，九，脫稿于揚州。

愛的果

64

詩的小說

愛的果

這是一本特別體裁可以歌唱的寫情小說。

愛情是何等迷人的東西啊！

愛情的事實，是何等叫人可歌可泣啊！

如今不用別人歌泣；他失戀的人自己來歌泣；把纏綿不斷的癡情，寫成自然的詩歌。在愛情深熾的時候，描摩得又細膩甜蜜；在愛情失敗的時候，描摩得又深沉又悲切。

這是愛的果，是又甜又酸十分有味的果。

請天下有情人，大家來嘗嘗罷！

洋裝一冊　定價三角

新式標點 名人演講集

洋裝一册　價洋八角

許嘯天先生點選

是：梁啓超胡適之章太炎汪精衞熊希齡李石岑張君勱梁漱溟蔣竹莊

諸位先生最有價值的演講。

從來說的『與君一夕話，勝讀十年書。』因爲這個緣故，近來各處，常常把名人請來，聽他講話；聽他一段講話，確實勝過讀十年書。但是，這裏面也有兩種缺點：

一，在當時聽演講，也有聽不懂；聽懂了，也有過後忘記的人。

二，不在當時聽演講的，越法得不到演講的利益。

因爲這兩層困難，豈不把演講的人的一片好心都埋沒了嗎？所以我們使把名人演講的話，都記錄出來；是在當時聽演講，聽得懂而又不忘記的人親自記錄的。這一來，不懂的人也懂了；忘記的人也記得了；不在當時聽講的人，也好似在當時聽過的一般了。講到近來名人的演講，原是很多；但是我們這本集子裏所收納的，是於：

學術上人格修養上有極大價值的。

一般學堂朋友，可以當教科書讀，可以當參考書看，

一般青年朋友，可以當自修書讀，可以當消遣書看。』

新式標點　鳳娟女士情書　出版廣告

◉萬金不換之愛情專書

◉百讀不厭之艷情尺牘

◉男女社交之指導員

◉夫妻恩愛之媒介

香艷處○妙不可言

哀怨處○慘不可說

歡喜處○樂不可支

滑稽處○笑不可仰

是書爲鳳娟女士在學生時代寄其請善著愛情小說之陶塞翠先生燮。情無不包羅盡有。而情節一氣呵成。亦可爲小說讀。女士別署愛夫朗鼎鼎大名之滬上交際花。幸自秘其之肯以雙字示人。今忽以一己之秘密公開於世。其價值之名貴可想而知。至其用筆之秀麗。文氣之高雅。在女界中可稱獨步。不特爲消閒之好資料。亦情書之好模範也。印書無多。購者從速。洋裝一冊。價洋四角。現售特價二角四分。外埠加郵費二分。郵票代洋實足通用。

書局啟

中華民國十三年四月印刷
中華民國十三年五月發行

愛的果全書一册
定價大洋三角

著作者 陳勣
發行者 鄭彝梅
出版者 時還書局
印刷者 中國印刷廠
總經售處 交通圖書館
代售處 本外埠各大書局

總發行所 上海英租界梅白格路八和里八百三十一號 時還書局

花木蘭文化出版社聲明啓事

此次《民國文學珍稀文獻集成》出版，有賴各位作者家屬大力支持，慨然允贈版權，遂使這巨大的文化工程得以開展。我社全體同仁在此向各位致以誠摯的謝意！

由於民國作者人數眾多，年代久遠且戰火頻繁，許多作者已無從知其下落。我社傾全力尋找，遍訪各地，能夠找到的後人，得其親筆授權者，爲數甚寡。更多的情況是，因作者本人下落不明，連版權情況都無從知曉。

因此，我社鄭重聲明：

此叢書所錄專著，凡有在版權期內而未授權者，作者家屬可與我社聯繫，我社願奉送相關贈書 50 冊爲報酬，補簽授權協議。

叢書第一輯，版權不明作者名單如下：

李寶樑、朱采眞、黃俊、汪劍餘、CF女士（張近芬）、王秋心、王環心、謝采江、曼尼、歐陽蘭、陳�、沙利、卜弋雲、陳志莘。

望以上作者之家屬看到此通知後與我社聯繫。

聯繫信箱：hml@vip.163.com

花木蘭文化出版社

2016 年春

水上

沙刹 著

沙刹，原名馬孝安，浙江紹興人。

一九二四年六月初版。原書三十二開。影印所用底本封面與版權頁均缺。

沙刹叢書第一種

水上

一九二四年六月初版

"…………I mean to lay open to my fellow-martals a man just as Nature wrought hime; and this man is myself.

I alone, I know my heart, and am acquainted with mankind. I am not make like anyone I have seen; I dare believe I am not made like anyone existing. If I am not better, at least I am quite different. Whether Nature has done well or ill in breaking the mould She cast me in, can be determined only after having read me………"

——The Love Adventures of J. J. Rousseau——

水上

目錄

金焦之花

金焦之花呵！
沒在霧裏，
沒在海裏；
迷失在金焦之山中了。

* *

這正是春日的上午，
煖風兒流溢，
禮拜堂裏的鐘聲駘蕩了。
你高高地坐在琴臺上：
幽揚着琴音，

水上

微吐着歌聲，
領大衆：
讚美上帝，
讚美人生。

* *

禮拜堂裏的煖風，
從春流到夏；
禮拜堂外的鐘聲，
從春響到夏了。
衣角兒都覷得分明，
鬢邊的花兒，
也換過顏色了。

水上

高揚的歌聲，
唱澈了心；
幽抑的琴音，
逗動了春風。
我們的眼光碰個回頭時，
是沉醉還是跳動？
祇覺得全身的重量，
失了平均。

* *

聰慧的女郎喲！
後來你不是和我說嗎？

水上

『從梅花開到桃花，
又榴火兒照眼明。
我身邊若有一人，
用眼波噙住了我；
羞得我常低了頭，
我恐懼在人海之網中。
親愛的，可愛的！
那不是你嗎？』

* *

從我們互相了解了衷情，
那一次會見時，
不偷偷地送一流兒眼波，

[illegible][illegible]的心？
着風醉人，
紗窗外的蜂兒營營，
你挾着一冊琴譜，
從座中珊珊地走上琴臺，
你雖然不朝我正眼兒望着，
聰慧的女郎喲！
你爲什麼把一對眼兒，
貼定了自己的心胸；
脚兒微顫，
前額的短髮飄動？
我知道：

水上

你的心早在我的身邊了。

＊　＊

他們再泥你彈琴時，
我又是喜歡又是妬忌。
但背誦祝禱文時，
你爲什麼又驀然偷偷地朝我一笑呢？
又倚在琴上，
是默禱還是裝睡？
是裝睡還是慍忪？
聰慧的女郎喲！
我深深地了解你了。

6

我們初次通信時，
見面時反覺得生疏了。
我想起你清秀的字兒，
我就要看你的手指；
想起你謙虛的口氣，
玲瓏的稱呼
叫我做「先生」，
聰慧的女郎喲！
我要深深地看入你的心胸了。

* *

我含着眼淚告訴你，
我已是娶過的人。

水上

慈悲的女郎喲！
你覺勉強的回答我：
我們可做永遠的姊弟行。
但誰也想不到，
我剛剛回家，
你就永遠朝北行。

* . *

四年來的互相安慰，
四年來的通信；
姊弟兒兩字叫穿了心。
戀人喲！
我生生地把你疎了，

我祗暗暗地自己悲痛。
你儘管怨我呵！
你就會找到你新的情人。
我呵！
永遠是孤零，
永遠的孤零！

期待

游艇狂打，
輕歌悄唱。
伊踏徧了園中的芳草，
芳草上徬徨；
伊扶着湖畔的石欄杆，
石欄杆旁避人間的毒眼。

*　　*

羊躑躅開滿一山，
紫雲英撒徧一坂。
我撕着兩雙手，

從東山套到西山，
從下山又踟蹰着上山。
白雲喲逝鳥！
我覺是期待着孤獨的徬徨？

——五，一，二三湖畔第二公園——

拒絕。

靜悄悄地院子裏，
太陽昏倒在牆上打盹。
伊給他一張畫片，
命他高高地貼在牆上，
他默默地把牠貼了。

* *

靜悄悄地院子裏，
祇有沙粒嘘着地上水門汀的微聲。
伊執着一本狠美麗的書，
叫他解釋給她聽，

12

他說：「我委實不知道！」

＊　＊

靜悄悄地院子裡，
牡丹花在窗檻上微微地透吐出芬芳。
伊默默地走過來，
問道：「這是誰送給你的？」
他低了頭不語。

——四，十四，二三——

姊姊

姊姊喲！
你若是一朵深潭邊
桃枝上開着的桃花，
我就是緊緊地挨着桃花的深潭了。
花兒雖謝了，
但你的影兒，
却永遠印上深潭中的波心。

*　　*

姊姊喲！
你若是一叢

月夜中開着的玫瑰花，
我就是一塊蹲在玫瑰花旁邊的太湖石了。
月兒雖逝了，
但深夜中的花影，
却永遠顫動在太湖石的心裏。

＊　＊

花兒已謝了，
月兒已逝了；
姊姊也棄我而去了。
但你的小名兒，
要永遠
永遠叫在我嘴裏！

追尋

天宇下，
受傷的
一隻白孔雀飛鳴，
梢着金箭兒，
去找尋射傷他的愛人。
永遠底翺翔呵！
永遠底飛鳴！

* *

人海中，
低能兒

挖着血淋淋的胸口求懇：
「誰挖走我的心？
那裏是
挖走我的心底愛人？」
永遠的漫游呵！
永遠的追尋。

——四，一，二二晨——

戀人底悲哀

——我的一個學生的浪漫故事——

當太陽懶懶地在山頂上徬徨，
照着你家的小樓上。
你家的白粉牆，
高聳得閃眼；
你家的兩扇搖門，
搖門上的木紋呵！
都燃燒着我的心房。

* *

馬路上的黃沙，

上水

悠悠地貼地微噓；
車子也靜了，
電燈兒微吐黃光，
這是晚飯的時候：
街上祇有靜悄悄地幾個行人。

* *

一路的徬徨，
和着躑躅看望。
當我回轉頭來看時，
你已徘徊佇立在門前了。
這樣，
我已倚看了多少晚上！

水上

* *

我茫茫地徘徊路上，
腳步都重了。
我底眼珠呵！
已跳到你底面上，
不但是覷你，
我已緊緊地吻過你了。
若是你全然不理會我，
那末：
你是仰着頭看天，
你的臉上，
怎會紅起來？

水上

你的手兒，
怎會沒處放？

當我又緊緊地覷你時，
你又別過臉去
和你的同伴笑語，——
是你的姊妹還是你的鄰居？
等我和友人已走過你面前時，
你就深深地打量我的身材，
還覷到我的腳跟。
你的眼光像電火般的交流，
我怎會不燃燒呢！

水上

今日的早上，
我家裏突然跑進一個驀生人來，
找我的爹爹講話。
他說是你的兄弟底友人。
把我偷偷地寫給你的一封信，
給我的爹爹看了；
還有許多言話，
也都告訴了他。
等他笑着跑出去，
我爹爹鐵青了臉，
咬着嘴唇祇對我冷笑，

媽媽坐在後堂垂淚。

* *

我不知道
前幾個鐘頭，
爹爹怎樣的待我；
媽媽流着淚，
怎樣的勸我懺悔？
我也思量不到去恨誰。
我祇有墮淚了。
戀人喲！
祇愿他早在你身邊過活。

——四，六，二三初稿——

水上

—四，七，二三期—

24

被征服者

半夜中哭醒來

我覺得靈魂中的寶物失去了；

但四週圍的暗黑都安慰我，

誰的心中不藏着深深的悲哀！

* *

綠草上緩緩的散步，

忽然掉轉頭跑回宿舍裏去，

蒙着被睡下了，

但他也祇好蒙着被睡下呵！

一個平常的夜裏

窗上的月跑走了，
欖上的八音琴聲逝了。

*　　*

但我的心呢，
仍舊是跳着，
也許要暴烈了；
我的眼淚呢，
儘自的淌着，
把我兩隻眼睛淹死了吧！

窻外的月跑走了，
橙上的八音琴聲逝了。

——五，三，一九二二追記——

赴杭

一樣平常坐船，
一樣平常睡眠；
碰着今宵，
偏祇是「魂倒夢顛」！

* *

一樣月明雲霧，
一樣飯後笑語。
今宵的心兒呵，
却在杜鵑啼處！

——三，廿一，一九二二——

默禱

早霧裡一池靜止的春水，
高山中一朵空靈的松花；
巖石下一枝柔軟的小草，
陽光中一星星的沙塵；
我跪在早霞燦爛的天宇下默禱着，
我跪在黑夜深沉的星光下默禱着；
倘如我的心也是這樣平靜呵！

街上底琴音

路旁的電桿，
是燒死的森林？
微弱的白光上，
誰還撥動着悲哀
清越的琴音？
馬兒延佇，
車兒轉動；
吹揚的黃沙飛騰！
人們呵，
洶湧！你看

巍巍的瞽者，
橫捧着三弦，
彈出清越的琴音。
踽踽地，
踽踽地，
在大千世界，
在大千世界上行。

——三，三，二三錢塘路——

人坐岸上，
鵝立灘上。
屋後的南瓜花棚，
披着夕陽，
悄悄地綉出一座錦障。

驕傲

朋友！
我是最謙卑的。

* *

當我徘徊於草坪之上，
我曾跪在一朵紫雲英的花前，
爲伊而祈禱。

* *

當我立在清泰城上悄望時，
我曾爲城上青青之小草，
而歌頌而唏噓了。

水上

* *

當我在路上無意中碰着一條狗時，
我立刻站在路旁，
恭恭敬敬地讓牠過去。

* *

但是：朋友！
當人們在我面前
在我面前跌蕩的時候；
我強烈地驕傲，冷酷地莊嚴了。

——五，四，二三，卿雲輪中，紹興——

34

春底印像

——西湖之春——

（一）

梅樹下，
綠草上；
伊們低着頭的笑語，
伊們對着雲山的注視，
伊們輕潤彩色於畫布之上底皓腕！

——孤山梅樹下底一對畫女——

上　水

（二）

半湖秋月底晚風

髮兒都鬆散了。

含着一口茶，

爭覷定湖山遠處。

——平湖秋月底晚風——

感動

到處都覺得可厭，
到處都覺得可愛了。

* *

早秋的午後，
偶然又步到江邊。
煖烘烘的陽光，
煖烘烘的陽光射到一塊綠玉般的草上。
眼皮都醉倦了，
倒在江邊鐵椅上。
心中祇吸吸地跳動着，——

上水

又覺得不安起來了。

*　*

一步步挨到堤上，
柔軟的海風，
逗着我的短髮吹動。
呵！
眼簾下，
藍寶石般的晴海喲！
銀森森般的晴海喲！
我勉強鎮了鎮神，
覺得脚也軟癱了，
心也暈醉了。

38

水上

* *

潮水退去後，
弄潮的孩子們，
造成小木橋的石子都出現了。
一條整齊潔白的石子，
遠遠的伸到海中。
海灘上忽綠的小草
一隻的小蟹，
從這個洞裏進去
那個洞裏出來。
祇有蘆葦衰老了，
逗着風顫動。

水上

* *

呵！
天喲！
向我脚上一朵朵滾上來的浪花，
不！
向我心上一層層壓上來的浪花喲！
但我羞於掏出我的心來，
我的心中也有滾滾不斷的愛流，
水晶般的心呵！
我的心曾用紅寶石般的血養着，
和風晴光時：
我的心比海還要清明，

水上

——比海還要晶瑩；
黃昏月上時：
我的心比海還要靜穩，
——比海還要空靈；
風雨蕭條時：
我的心比海還要偉大，
我的心比海還要莊嚴，
比海還要澎湃激怒喲！
但我的心給人們射傷了，
胸中祇覺得冷冰冰地，
天呵！
我的心呢！

我的心呢！

＊ ＊

到處都覺得可愛，

到處都覺得可厭呵！

——一九二二，黃浦江邊——

將遠行的旅客

江邊的衰柳，
伊曉得伊要遠行了。
但伊的心裏，深深地刊了三個小影：
一朵萍花，
一幕晚照，
和安慰伊的流雲。
誰也都是將遠行的旅客，
不過伊走得更近了。
伊想到伊要遠行了，
伊默默地禱告伊忘記了：

水上

天上的流雲，
水中的晚照，
和要吻伊的萍花。
但伊却越糢糊了。

* *

江邊的衰柳，
伊曉得伊要遠行了。
伊招流雲絮語，
流雲却笑着去了；
伊俯下身子，
和晚照告別，
伊說：

水上

姊姊呵！
你給我的，
我都還了你：
流轉的歌喉，
明媚的眼波；
珍珠般的眼淚，
黃金般的誓言，——
把誓言還了上帝。
姊姊呵！
凡你給我的，
我都還了你，
願你再好好的贈給別人。

水上

晚照銷滅在波光中了。

* *

伊記起萍花來，
伊就哭了。
軟弱的飄泊的萍花喲！
但陽春已逝了，
何處再招萍花呢？
伊深深地怨苦自己，
伊要遠行了。
伊不願訴與流雲，
不願訴與晚照；
伊整日想萍花，

整日想萍花了。
江邊的蘆葦，
驀然給他梢寄一封信來，
伊刺扎着般胸中底冷氣，
都壓上喉去，
頰兒也炙冷了。
伊幽幽地啜泣，
伊祇有幽幽地啜泣啊！

海邊雲母石底十字架

風雨深沉夜，
黑暗都壓到心上來，
除了渺茫，幻遠，燈塔上一點紅光，
祇有汹湧澎湃的波濤聲。
伊深沉而且恬靜的默禱了。

＊　＊

銀閃閃的月光，
銀箔般鍍上了柔媚的海波：
一條一條地絞着，
一匹一匹的推擁，

萬物都安息了。
伊深沉而且恬靜地默聽着。

* *

春水軟風中，
海鳥掠過來，
又掠過去；
一幢幢的帆影，
金字塔般的傾斜了；
船中坐滿了客人，
都一齊稽着春意，
揚帆而遠去。
伊深沉而且恬靜的默禱了。

水上

生命之流，
向無涯流去，
又向無涯流來：
波尖兒疊上波尖兒，
波紋兒織上波紋兒，
誰還認識喲！
一座座的波尖，
一條條的波紋；
伊向空中微微的展開來：
黑沉沉的大森林中，
巉巖峭壁下，

50

水上

流泉一派伊底生命生長了。
朝陽中一朵充遠，空靈的松花，
空谷裏一剪瀟灑之春蘭；
柔枝淒側的杜鵑花：
都是伊生命底伴侶。
但生命之波中，
壘上了多少波尖，
織上了多少波紋？
伊怎會記得起，
伊怎敢記起呢！

* *

伊靜靜的，

水上

立在一圈短短的鐵欄杆中，——

鐵欄杆外的海水，

藉了又藍，

藍了又藉了。

伊的小影，

已深深地刊入天上的逝鳥的心中；

牠悄悄地飛來，

悄悄地飛去了。

還有海灘上的蘆葦，

早潮的潮水，

幾次向伊擁上來，

幾次背伊退下去了。

伊深沉而且恬靜地默臥著了。

* *

雲母石上的花紋，
給風雨都剝模糊了。
但憑誰都感歎着說：
『好一座雲母石的十字架．
莊嚴而且美麗，
冷肅而且柔膩！』

伊生命底歷史，
已深深地埋入土中了。
伊告訴過月姊兒，
伊再不願訴與月姊兒了。

鐵欄圈外的小草，
替伊煩悶得急了；
伊說：
「我配做一個殉葬底天使。」

* *

趁伊默禱時，
月姊兒偷偷地俯下身來
告訴草兒道：
「伊住高山之中，
溪水之西。
伊九歲時愛上了伊底同伴杜鵑花兒，
但杜鵑花兒零落了。

水上

伊的母親給伊愛上了松花兒，
松花兒飄揚天宇。
後來伊要愛空谷之蘭，
空谷之蘭却渺遠而且虛幻。
伊被石匠鑿上了花紋，
伊是一座雲母石的十字架了；
跨過了大海，
把伊送給伊下面睡着的伊；
伊永遠要愛伊了。
伊想起杜鵑花，
便墮淚了；
伊想起松花兒，

水上

就歎氣了。
但伊底心幕上，
給空谷之蘭的影兒一瞥，
伊更深沉而且恬靜底默禱了。
伊說：
伊是殉葬的天使！

電車中昏弱的晨星

秋之晚：
森林中大道坦蕩，
森林中天宇幽爽。
哦！
我在茂林裏，
我在萬山中，
我在木橇上；
有亞娃呵同浪漫？
伊緊靠車窗，
深垂媚眼。

水上

森林中生長的女郎喲！
車掌挨你而過了，
毛絨頭繩都散滿地上；
森林中沉睡着的女郎喲！

* *

已夢到扶桑，
已夢到富士山上？
你看！
雅潔的面龐，
柔肥的手指；
靜靜地閉着一對妙眼，——
微吸着大氣。

森林中沉睡着的女郎喲！
你底同伴在叫你了。
告訴我，
我誠懇地求你：
曾否夢到扶桑，
曾否夢到富士山上？

* *

跋：

約莫去年十月中旬，我回校去時，在楊樹浦電車裏，我的座旁沉睡着一位日本天仙般的女郎。伊什麼都模糊了：伊同伴啾啾的話語，車中孩子們的吵鬧，車掌走過時，伊手中的毛絨頭繩都換散在地上，伊手中祗握着一個空紙包。這個深刻的印像，到如今仍活活地跳躍在眼前。

三月三十一日底湖上夜游

——和靜之，旦如——

*　*

（一）

祗有一抹銀灰色的山峯，
祗有一抹銀灰色的煤霧；
銀灰色的水光中，
悄划着波縦，
前進！
前進！

*　*

水上

(二)

酒樓中閃爍底明燈，
雲根般的水草呵！
綠波中爭吻住我們的游艇。
且悄望湖心
空靈喲！
空靈！

*　*

(三)

船傍湖心亭，
天上的月兒娉婷，
人間清靜。

數着石板兒，
祗有犬吠聲。
我禮拜的明星，
早在北方在明。
我的愛人呵！
住在那明星兒晶瑩的一方。
但可曾還閃着我的小影？
偉大的，沈默的雷峯塔喲！
我哀哀的懇你，
求南屏的晚鐘，
給我再播一聲；
震蕩到金焦之海中，

上水

震蕩到明星，——
明星下伊沈睡着的香枕。
問伊可曾接受了我的懺悔？
問伊可曾接受了我的乞憐？
哀哀的給我戀伊喲！
晚鐘呵，
我立在湖心亭，——
湖心亭上望雲行。
——四，二，二三早晨——

海落葬儀

天宇淡蕩，
白霧迷漫；
是秋之黃昏，
是暴風雨之晚？
我是天上的孤鷹，
在灰白色的空氣中，
拍着健翅，
悄悄地，
悄悄地，
在灰白色的空氣中浪沒。

水上

那一片是茫茫的狂洋！
爲什麼白浪閃眼？
那一條是淺淺的沙堤！
沙堤旁，
草塊上，
爲什麼有一片火光？
哦！
嘹喨！
嗚咽！
是啜泣還是清唱？
讓我到那海面上打個回旋。

66

水上

曠場上，
綠草長，
小花黃。
曠場中，
堆滿了松柴，
松柴上屍架一牀；
他黃黃的臉兒，
他磁白的牙齒，
他穿着玄色的僧衣；
身上撒滿了玫瑰花，
仰着頭靜靜地睡在屍牀上。

水上

* *

涉潮打到堤上，
天風在空中呼呼的響；
伊們的裙裾飛舞，
伊們的哭聲抑揚，
跪在屍架旁，
白衣底女郎喲！

* * *

簫聲已清冽，
歌聲已悠揚；
送葬的僧尼，
繞滿曠場。

敲喲！
鉦，鈸！
彈喲！
箜篌！
火炬已燃燒了，
天風已激蕩；
火焰輝煌，——
火焰直滚到天上。
伊們的裙裾飛舞，
伊們的哭聲抑揚。
跪在死架旁，
白衣的女郎喲！

水上

——五，二九，二三——

70

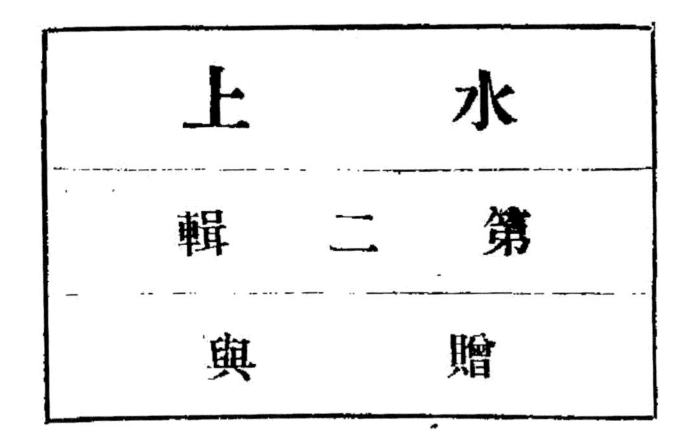
水上
第二輯
贈與

水上

伊說：「這是我親自天天帶着的。」

* *

把象牙和銀圈，
都封入伊給我的信中了。
我默默的挨在伊旁邊，
我默默的跟着伊，
走到一個清麗的小院。

* *

象牙藏在我貼身的小衣的袋中了，
銀圈套在我的小手指上。
深夜黑暗中，
我偷偷的跪在被上：

72

吻伊贈給我的象牙，
吻伊贈給我的銀圈，
我的眼淚都淌下來了。

南屏晚鐘的漫游

（一）

層樓高，

晚風急；

立窗前指點湖山，

無意中相視，

都笑說三角洲：

——那三潭印月！

* *

（二）

石嶙峋，
路曲折。
找徧山花，
何處山花紅如血？
已得伊的允許了！
把金盞兒，
秋紅葉，
都裝入伊底記事册，——
深深的鈐個人生路上的踪跡！

＊　＊

（三）

裙飛，
髮揚；
風急，
草長。
啊！啊！
這狂蕩的天風，
吹綠一湖湖水，
吹舞伊們的衣衫。
衣衫兒，
高岡上，
飄逸呵！

風前翩躚似粉蝶！

水上

（四）

雷峯塔已立在眼前，
她們都跳上洞裏去了。
伊順下了眼皮，
悠悠地向我說：
「我不上去吧！
我弱小的靈魂，
怎抵得這偉大的雷峯塔，——
塔上豪邁的天風底激蕩？」

* *

178

（五）

去喝虎跑泉，
去上六和塔，
不許再煩悶了，
把悲哀拋去雲外！
悄相約，
雙十節。

* *

（六）

——淨寺的路上——

車在路旁，
人行道上；
城牆拆毀了，
黃泥塵滿地飛揚。
一亭亭，
悄聲兒，
嬌姿態；
伊講到宋代的畫師。——
畫師靈慧的心靈喲！
畫一幅：

「踏花歸去馬蹄香！」。

秋夜

——其一——

秋之夜，
風微吁，
人靜寂。
公園裏，
那一角，
草地上篩滿了樹影，
路燈兒高高地
幽碧！

從湖上吹來的微風，
微風啊！
蕭瑟。
從對面擁過來的山峰，
山峰呵！
濃墨。

*　*

我們呵！
依傍着，
鐵椅上，
漫指今朝踏過的南高峰，
悄說。

水上

* *

湖心亭，
雷峰塔，
都銷失。
我們呵！
默感看，
一層微薄的悲哀，
騎着飄逸的秋風，
繞到我們的心房。
心房兒，
都戰慄！

* *

這時候，我們呵！
都不語。
祇有伊手中的檸檬，
微微的，
散出些
水菓香，——
滿空中
流溢！

——湖濱公園秋夜的絮語，西湖——

秋夜

——其二——

秋之夜，
馬路上，
漫蕩蕩。
馬蹄聲都遠逝了，
沿路的門兒也都虛掩着。
柳蔭中，
我們呵！
輕輕地，
踹着腳；

悄聲兒，
笑說。

*

柳梢上，
燈透碧。

*

雙十節南高峯的漫游

(一)

朝陽已晒上城牆，
秋風在天空呼呼的激蕩；
我們踏着軟軟的黃泥，
靜聽伊故事的演講。

* *

『淼淼銀海中，
浮着一顆青螺般的荒島，
島上居滿了生番。
到非洲探險去的老博士，

和他天仙般的美麗的姑娘，
都被海盜拋棄在這荒島上。
但他的天仙般的姑娘，
給一個年青的生番愛上了。

*　*

當伊看着一縷縷散熳的夕陽，
在茂蜜的森林裏散步時；
他悄悄地伏在樹枝上守望。

*　*

當伊在風日清麗的海濱上，
照着自己的影兒出神時；
他又遠遠地躲在草叢裏守望。

*　*

伊幾次被虎豹襲擊着，
他幾次立刻把虎豹殺死在伊面前，
把伊送給伊的父親，
他狠愉快地跳躍着去了。
……」

*　*

伊清澈的聲浪，
簡明的句語，
嫵媚的姿態，
流利的眼光；
講完了，

帶着細細的嬌喘，
又在前面的路上飛揚。

——淨寺的路上——

水上

（二）

在狂蕩的松風中，
在懸崖的石徑上；
伊忽然頭痛起來了，
我求伊躲在我身旁。
『讓我擋住風吧』！
前面的芬，
忽然回轉頭朝我笑起來
『你怎樣擋住風呵！
風是朝後來的？』
伊看着我着急的神情，
也吃吃的笑了。

——南高峰的懸崖上——

（三）

頭上的白雲，
四圍的亂草，——
四圍的長松短松。
太陽已直射了，
遠村的午雞聲微聞。
我們呵！
相視而笑，
闈在亂山中。
『愿永遠圍在亂山中喲！』

——迷路——

(四)

到烟霞洞去的路迷住了，
我趕着去問一位穿得紅紅的小姑娘；
小姑娘羞得躲進家去，
我祇好求磨剪刀的哥哥告訴我。
伊立在一旁，
却抿着嘴兒笑我。

——問路——

（五）

伊跳躍着上山時，
伊的黑紗裙翩翩的舞動了。
伊輕輕的用手按着，
回轉頭來笑和我說：
『我的裙怎麼這樣會飄動啊！』
我笑說：『這是上帝特賜給女孩兒們的！』
伊朝我瞅了一眼，
急急的又跳躍上去了。

——路上——

（六）

黃泥岡上的茶樹都凋萎了，
採茶的老婆婆也衰老了。
她把秋山之落葉，
拾起來捆作一担，慢慢的挑下山去。

* *

伊立在高岡上，
緊緊地覷着老婆婆，
回轉來瞅着我說：
「這也是人的生活嗎？」

——南高岑上採柴的老婆婆——

（七）

她們都遺落在山下了。

* *

一叢叢濃碧的竹林，
一塊塊黃黃的稻畦，
泥堆出般地圖樣的西湖，
遠遠的微微的一縷淡黃的錢塘江：
都湧在伊的眼底下了。
我傍着伊立在回峰轉角，
南高峰的石級上，
跟着伊手指的方向悄望。

——雙十節，西湖——

日出之前

天還沒有亮，
我早從夢中驚醒：
我回想到過去，
心中已夠酸痛，
我估計到將來；
我止不住流淚浸浸。

* *

天色已青藍了，
遠遠地飄入一聲鷄啼聲。
我揮着眼淚，

水上

靠着桌角，
橫直斜劃的，
寫一封給我愛人的信。

* * *

半空中驀然的鴉啼聲，
好像湘江江上的鴈唳，
倒噙住了我的眼淚，
驚得我凝神幻想：
伊自從犯了失眠症，
天還沒有亮，
也眼睜睜地醒在床上——
伊這時定會想着我。

100

但倘如這隻烏鴉，
帶着東方飛騰起來的第一縷的紅霞，
掠晨風而去，
牠再啼一聲，也給伊聽到呢？
我要化一隻烏鴉喲！

里安寺楠木林中閑坐

這是雲棲的竹蔭！
怎麼會這般透碧，
這般清靜？
愛人喲！
你看這許多落葉呵！
這落葉兒堆在林中，
多麼輕鬆？

*　　*

愛人喲！
倘如我們有一羣白鹿，

把鹿兒都散在地上，
你在前面歌唱，
我在後面謳吟？
白鹿呵！
都仰着頭在楠木林中諦聽！

里安寺楠木林中聽落葉

悄聲！
這是世界上稀有的楠木林．
愛人喲！
這些兒清風，
已逗出一片，
從天空跌下來的落葉聲，——
深深地打入秋心。

龍井晚遊

啊！
這池池水怎麼這般澄清！
影上了壁上用白粉塗過的「毓秀」兩字，
影上了伊的小影。
我不是爲池水失了神，
我爲了我們立在池邊，
互看着池中的影兒，
失了心房中跳躍的平均！

九溪十八澗記遊

曲曲的溪水，
水沫兒已飛濺到伊的衣裙，
伊朝我笑看了一眼，
妹妹喲！
一星小石兒，
已星殞珠沉！

* *

迷離的山徑，
驀然驚起一對竹雞兒，
在草叢裏飛騰。

嚇得伊倚在我的肩上，把手按住前胸，
伊朝我看着，
眼波中已噙着一泡哀憐的心情。
妹妹喲！
這是宇宙中愛之精靈！

毛家埠之晚

後面是草塘，水渚，
前面是黑沉沉的裏湖。
妹妹喲！
頭上是深藍的天宇，
星星在明；
頰邊是妹妹的臉兒，
妹妹的黑眼仁在閃！
妹妹喲！
祗願永遠立在這條泥堤上喲！

黑夜中從湖上舟中望旗營

街上的明燈！
水中的黃金之森林！
妹妹呵！
我們棹着一隻波艇，
向街上之明燈！
向水中黃金之叢林而行！

石陸澗去的路上

路亭中友們的打趣，
伊惱走了。
祇有伊飄揚的裙裾，
在草叢，葉角間倘閃露着。
她們却都笑催着我去懇求伊，
我低了頭，
踟躕着脚步走上山坡時：
我的心早已在伊的身邊了，
伊已笑立在山徑上迎我了。

赤山埠遇雨

高爽的天空，
忽然篩下一陣細雨；
躲在竹林裏，
伊已蹙着眉兒沒語。

伴侶

——西溪，花塢之游——

當我們疊着手兒，
倚在彈指樓的欄杆上：
白綿絮般的蘆花已扯滿一坂。
你喜得跳躍起來，
你說：『我願立刻做一隻輕逸的蜻蜓，
我願立刻做一隻有天鵝絨般粉翅兒的蛺蝶，
撲覓在蘆花上！』
愛聯！那時我們祗緊緊地倚着，
我們的默感怎樣？

上木

當我們挽着手兒，
在幽碧的山徑上飄揚：
旁邊是潺潺的溪水，
四圍是竹菁野草，
竹篁上鍍着一匹夕陽。
忽然一株奇麗的不知名的灌木，
綴着整齊的黃葉，
悄悄地立在溪邊；
你驀然看見了，
你奮興地呼喊起來，
不防脚下被石子一絆，
倒在我身上。

水上

山光秋色裡，
我擁抱着你，
我輕輕地吻着你，
愛喲！那時世界上的一切，
我們誰曾起一星兒思量？

* *

白雲菴還沒有到，
我們一路悠悠地談笑着：
不知又跨過了幾條溪水，
轉過了幾個山坡。
當我們坐在路旁的靑石橙上，
整理採來的我們心愛的葉兒；

水上

你倚住我的肩，
我一片一片的傘給你看；
一位送客回來的女子，已走到我們的身旁，
伊驚奇，愛慕的眼光，
灑徧我們身上。
我才覺得前面有清修，幽碧的竹林，
後面是枯乾的溪溝，
四圍都是高山。
[illegible]那時我們怎樣的驕傲？
我們[illegible]傲，怎樣？

* *

小舟已浮在水上，

水上

蘆葦緊緊地挨住兩旁。

迷眼的綠波，

迷眼的蘆花，

迷眼的蛛網般的清水小港喲！

我們的身子雖已坐在舟中，

我們的眼兒，

却還掛在彈指樓上！

* *

我們喜歡這秋雪菴前的蘆花，

喜歡這幾百畝蘆葦蕩中的清水小港；

喜歡那遠遠的一抹環西湖的秋山，

山脚下森林中，

染成般的多少塊紅和黃！

* *

我們商量着造幾間小屋，
我們商量着買一隻波艇，
造一座高樓；
望銀光閃爍的秋雲，
望到紅樹秋山。
我畫了一張圖案給你看：
A是高樓，
B是竹籬，
C是花園，……………
愛喲！那時我們的幻想怎樣？

愛喲！那眞祗是我們的幻想嗎？

黃昏

靜悄悄的院落裏，
粉牆已履白色了，
窗內已黃昏。
祇有遠處搞金箔的碪聲，
一聲聲都飄入心頭。

* *

伊低了頭默默的坐在籐椅裡，
我坐在伊對面，讀伊寄給我的信；
「我沒曾給過人的愛情，
今番都給了你！」

水上

靜悄悄的院落裡，
粉牆已殘白色了，
窗內已黃昏。
祇有遠處搗金箔的砧聲，
一聲聲都飄入心頭。

* *

我緊緊地握住伊的左手。
頭也靠倒在伊的鬢邊了。
我含着淚和伊說：
「妹妹！我都深深地藏在心頭！

…………………………」

冬青樹下

緋紅色的霞光抹滿東方，
森林中的草地還濕潤潤地：
他披着一頭黑玉般的美髮，
眼兒灼灼地望着遠方。

* *

太陽已停留在天中央，
枝頭的軟葉都一齊伸展開了：
他雪白一雙美手捧住臉兒，
在小徑旁，在一株冬青樹下啜泣了。

憶遊雜詩

(一)

引伴上高山,
笑語亂空際,
祇缺了身邊人一個,
全抹去了我面上的笑容,
惹得我同伴猜疑,
悶得我心兒暗暗的緊——緊。

二）

扶着石礎，

仰看天上的流雲：

一霎時纖弱的寶俶塔要軟倒了，

却不道是雲兒影着移動。

（三）

她們都跑上峯巔去了，
我在山中採了一握黃花，
採了一朵有刺的紅月季；
把月季插在襟上，
想把黃花贈給伊，
可是伊遠在天際，
伊遠在天際。

——賓俶塔——

（四）

湖上閃動的微光中，
浮着多少點的船影燈影？
還有一串明燈，
也映在水上顫動。

（五）

星光沉浸在月光中，
人影散亂在柳陰下；——
柳陰下，
央求伊們：
歌兒緩緩的唱，
叫船兒慢慢的划動。
却笑他們少年們，
都繞着三潭印月追尋。

（六）

清秋涼夜：

星光下，

月光中，

伊們輕輕的唱着，

船兒是向湖心亭，

柳陰下，

幽避處行。

（七）西冷橋步月夜話

輕沙平路，
我們都一齊向西冷橋踏月去。
說到明年此夕，
又知誰歸何處？
我們都低了頭，
心頭都起了一層涼意。

＊　　・　　＊

長城上的冷月，
長城上冷月的清絕，
我微露出明年到那裏賞月去。
哦！這驀然使伊欣喜，驀然又呆住了伊。——

原來是伊的生長處，
原來是伊的生長處！

——中秋秋夜的夜遊，西湖——

夏夜

流螢慢慢的飛渡過去了，
他閑坐在水階上，
攪碎水中的明月，
兩手伸入月中央。

* *

流螢漫漫的飛渡過來了，
他還是坐在水階上，
他暗暗的思量：
「倘如她來呢？
回去又要受嬸娘的氣苦」，

倘如她聽了我的話，那末——
她祇好坐在床上想我，
我祇好坐在水階上待她。」

公園裡

地上的綠草都萎黃了，
葉兒在枝上逗着風顫動，
公園裏靜得和涼夜一般了。
她們都巳坐在草地上，
我含着笑忙迎上去，
伊却倚住一株梧桐樹；
指着放在地上的絨線圍巾中的一袋糖菓和我說
順手又遞過來一册藍格子的美麗的信箋贈給我

黑夜的湖上

水上半圈明燈，
水中半圈明燈；
黑暗中，湖心亭，阮公墩…………
都化作一團團的黑影。
我們呵！坐在波艇上，
把手兒握着，
把身兒倚着，
在黑暗的波上浮沉。

龍井道上之薄暮

四圍的高山，
已披上青灰色的烟霧；
沿斜坡的叢林，
都幽夢般的憧憬。
曲曲的，白石舖的山路上，
有挽着手的一對戀人，
他們在喁喁的笑語，
他們在聽他們自己的笑語聲：
散在這灰白色的空明中波動，
散在這灰白色的空明中銷沉！

路旁

秋夜的馬路是靜悄悄的，
梧桐樹影瀉滿一地。
我蹌蹌踉踉地踏過伊家的門前時，
我好像是一個在買油的少女，
捧着油燈，
要去跪在伊家的門前哀哀的求懇。

* *

樓上瑩潔的燈光，
走廊上人影閃動。
我的愛人喲！

你在翻閱太戈兒的詩歌嗎？
你還是已靜靜的睡着呢？
我願化作一片立在枝上的桐葉，
向着你的窗口，
給你的夢魂唱到天明！

薄暮之游

（一）

琥珀般的霞光銷沉，
黑煤烟已抹上雲衣；
田陌中，
呼兒晚餐聲，
流動！

(二)

這蕭蕭的竹園，
這青青的桑林，
這淺淺的溪流，
這太古式的石橋；
我攜着我的愛人，
坐在石橋上，
覷溪流中的倒影，
歡迎泛溪流而上歸家去的賣菱人。
哦！
伊覆在我肩上沉思，
伊凝着眼兒憧憬！

（三）

竹尖上都幕上了青烟，
一點紅星在天際浮動！
若沒有我的愛人，
輕輕地呼着我，
我的精靈，
已迷失在路旁的亂坟堆中。

我那時早已是你的了

當我們輕輕地踏在桑影上，
一片銀白色的池水，
在桑林外銀閃閃的發光；
你攀着一根桑枝，
我默默的挨在你旁邊，
我們不期把眼光溜着時：
愛人！我那時早已是你的了！

＊　＊

當我們迎着微風，
立在游塘上吸清醇的稻香，

水上

更放眼到遠村的煙樹，
樹叢中瀉着一縷江水。
江水上流着幾翼風帆；
寒風吹着你打顫，
我狠擔心的摸你的手時，
你却朝我一笑：
愛人！我那時早已是你的了！

* *

當你微現着倦態，
倚在我身上，
我扶你上城牆時，
我們同坐在一塊石礅上

你倒入我的懷中，
看浮在銀光中的天上流雲的翼邊；
你把手帕蓋着面，
我求你莫睡着了，
我就抓你的脇渦，
你笑得在我身上打滾時；
愛人！我那時早巳是你的了！

月夜

城頭上是靜悄悄的，
祇有女牆上的茅草，
貼入透明的天空中了。
小妹妹把頭擱在小哥哥的肩上，
把手籠入小哥哥的袖中，
凝視天上的明月。
但小哥哥已深深地看入小妹妹的黑眼仁中了！

* * *

城頭上是靜悄悄的，

祇有城河邊的火車，
嚇人的吹唿哨。
小妹妹把身子都倒入小哥哥的懷中了，
讓小哥哥把手擱在小妹妹的耳上，
讓小哥哥把頭挨着小妹妹的前額。——
小妹妹又裝睡着了，
可是小哥哥的心靈，
已蜜蜜地沉醉於小妹妹的胸中了！

責罰

（一）

伊把伊的日記簿，
叫他替伊拿着，
他偶然想把牠放入伊的提囊中，
伊含着笑發怒說：
『你不願意替我拿着嗎？』

——棲霞嶺上，西湖——

（二）

他吞涼坐在牌坊下的墓桌上了，
伊已從後面跳躍前來：
飛揚的短髮，
飛揚的黑紗裙，
他連忙笑着迎上去。
『可是你臉跑得紅紅了！』
『都是爲你！……』
伊挨在他的身邊，
低着頭微惱地說。

——秋瑾的墓後，西湖——

期待

牧郎已從床上跳起來，
跳到外面的草地上；
藍星還綴在天際，
一縷縷的紅雲還是淡黃；
麻雀兒立在樹枝上，
小聲兒歌唱。
他牽着牛跪在路中央，
默禱伊昨宵安康。

＊　　＊

他把書籍都合上了。

他靜靜地坐在窗下。
用嘴唇吻着伊贈給他的象牙，
用口啣着伊贈給他的銀圈，
但窗外小院裏，終於沒有伊的脚步聲；
他慢慢地立起身來，
一手握着象牙，
一手握着銀圈，
默禱伊今朝的安康。

我將怎麼呢

我若是一隻羽毛輝煌的孔雀，
當伊披着羣星，
戴着明月，
在幽碧的森林裏舞唱時；
我也要傍着伊的身旁而舞翔。
但倘使伊大理石般的立在高峰上，
終日仰天而沉思，
我將怎麼呢？

*　　*

我若是有黑天鵝絨般的軟翅兒，

是一集水上輕逸的蜻蜓，
當伊立在溪邊默想時；
我便要在伊的襟底，裙邊飛動，
引動伊的眼光。
但倘使伊忽然嗚咽着聲兒，
在前面的路上遠揚了，
我將怎麽呢？

* *

伊的病一天深似一天了，
伊的面龐兒，
也一天天的黃瘦了；
我愿自己化作一株仙岩上的靈芝。

水上

但倘如我是一株仙岩上的靈芝，
贈給伊而伊不愿接受時，
我將怎麼呢？

＊　＊

伊底面龐兒，
一天瘦似一天了，
伊在家裡，
笑容也一天天的減少了。
但倘如我哀哀的要求她去醫，
而伊仍舊朝我搖着頭，
伏在案上暗暗流淚時；
我將怎麼呢？

啜泣

當小舟在銀灰色的溪流上蕩槳急進，
蔚藍色的天邊，星兒已一盞盞的掛出來了。
兩岸的秋風，衰黃長草，
天上的一彎明月，
都一程程送伊們歸去；
這時候：伊們倆都歌唱起來了。

* *

在萬山疊巒中，在密菁曲徑上，
伊們倆挽着手倚旁着過去了。
這時候：祇有天上翺翔的蒼鷹，

祇有灌木叢中疾飛的竹鷄和空中山鳥的囀聲；
伊輕輕的把身體倚在他身上讓他擁抱着，
伊們倆相視而微笑。

* *

這是一個稀薄的霧夜，
遠處的明燈都罩上一層輕紗，
靜寂的馬路上的黃沙也「細細灑灑」的吹打起
來了。
這時候：伊們倆立在湖畔水堵上，對着黑沉沉
的湖水，
誓作終身伴侶時，
伊們倆相抱而啜泣了。

美麗的夢

（一）

我昨夜做了一個惡夢。我執着明晃晃的白刃，到處尋人厮殺；我握着血般閃耀的火炬，在黑暗中亂闖；愛喲！我好像已被你拋棄了，所以我心裏觸到什麽，卽刻就做什麽了。我也思量不到什麽叫做罪惡，什麽叫做……？

好像他們已把我捉住了，捉我到法庭上。法官翻開一本很厚的羊皮書，朗誦法律給我聽。好像他反開導我，我却仍舊圓睜着眼亂闖，亂跳。

水上

好像又把我牽到一座金壁輝煌的宮殿裏，遠遠地戴着勝利的金冠底王者坐在殿上。我的周圍站滿了穿甲冑像救火隊一樣的武士們。我笑他的喉嚨怎麼會這般細法。「你對我說點什麼呵！」我不覺禁狂笑起來。

他們似乎又擁着我到一個有上帝的禮拜堂，把我立在聖桌的面前。牧師左手執着十字架，高高的擎在我頭上；右手按住我的頭髮，替我禱告，替我懺悔。他的眼睛都濕了，我祇好咬着嘴唇暗笑。我又暗暗地輪着眼偷看立在我旁邊的教徒，他們愚蠢的神氣，引得我索興又狂笑起來。牧師的手中的十字架已跌作兩段在地板上，他們的眼睛都嚇開了，他們的禱告也打斷了；他們驚得臉都青了。我笑看他們對我深深地歎了一口氣。

忽然說你來了！他們好像都立起身來迎接你。愛喲！我那時心裏的跳躍，比一陣金鐘的敲撞還沉重還猛烈呵！我以前做的事情都遺忘了。我這時好像一個纔落胎的嬰孩，我全身發抖，我眼淚都滴下來了。祇待你走近身，我就要跪在你足邊，吻着你的足，求你恕我一切，我一切都懺悔了，我一切都已遺忘啊！祇要你是我所有，我對於世界再沒有更奢侈的要求了；祇要你是我所有，我也會憐愛人們，像他們現在憐愛我一般。愛喲！祇要你永遠在我身邊，我永遠是一個世界上最良善的好人了。哦！你果然珊珊地走近來了，你用你怨苦的，愛憐我的眼睛望着我。愛喲！我一點力量都沒了，我不敢迎你，我不敢看你；我已羞愧得要死。但你已在我面前，我怎肯死去呢！愛喲！我現在已抱住你的足，我伏在你足旁幽幽地啜泣了！我聽見，我的確很清楚的聽見，你揚着嗚咽的微聲替我懺悔，道謝大衆。我這時已換了一個人了，我身體軟得和一條綿花似的。我伏在你肩上，我羞得見他們呵！你扶着我走出禮拜堂時，我默想到你是和他們鞠躬了，因爲你的項頸曲了一曲。我已同羝羊似的，再沒有力量抬起頭來，耳中祇聽得他們的歡呼聲。

被角已濕了一大塊。醒來時，我又不在我愛的手臂中了。我再閉上眼尋我夢中的愛時，却幻遠而又幻遠。我要問你，我的愛喲！你昨晚曾否也做同樣的夢？

水上

（一）

當啟明星掛在北方天門的城樓上時，我昨夜又做了一個夢。這是一個美麗、清和的幽夢

似乎我們理想中的新村已降生在地上了，那時似乎我們結婚已過了五個年頭了。妹妹！我和你就在這一日，——五年前我們倆結婚的一日。——打掃乾淨了一座草廳——這座草廳，好像我們村中最大的地方了。我和你在廳之四周散散漫漫的擺設了幾十盆清癯的瘦菊，當中臺子上，舖了一條白布，分好了一份一份的茶點，玻璃杯中注滿了紅寶石般的葡萄酒；一

160

水上

一切都齊備了，柳樹在窗口拂拂的招動。柳樹外除出一條沙舖的甬道，兩旁都是黃黃的稻畦。這是一個清和，陰淡，秋日的午後，天上祇有乳白色的雲片。我和你挽着臂立在甬道邊迎接時，客人都來了。他們旁着我們身邊走過時，都深深的致了敬禮，表示祝賀我們的意思。

我們的客人，都是村中的同志：有幾位是農夫，有幾位是木匠和泥水匠，有幾位是畫師，有幾位是歌者；有幾位或是專門把世間殘缺受傷的一顆顆的心，都收集起來，平舖在紙上留人們細讀；或是用人間最平凡的字眼，把自然的美和神秘都透露出來，給人們默感和讚美

上水

。所以我們的凝祝會，一概禮節通沒有，我們用不着世間一切虛浮不切實的話語；我們祇要互相很眞誠的一笑，我們祇要互相一鞠躬，那就夠了。他們又舉起杯來祝賀我們了！我和你立在上面共渴了一杯，我們倆一笑，大家就歡呼着散了。

愛人！這不是一個美的清幽的夢嗎？他們歡呼起來時，我也笑醒了。嘴唇邊似手還有渣過的葡萄酒味。愛喲！我要問你，你昨晚曾否也做同樣的夢？

162

（三）

昏黃稀薄的燈光下：心是遼闊，我底心是
遼闊而沉迷呵！

＊ ＊

即使伊又蹙着眉兒，立在我面前，但已迷
沒着一層銀閃閃的月下的薄霧了。伊好像薄霧
中流動着的露着半面的蒼白色皎潔的月兒，而
我是飛翔在霧下打傷了兩隻軟弱的翅膀的，一
隻失羣的夜鶯。伊是遠了，我怎能還飛得到伊
底心上去棲息呢？

我想跪在伊面前，把我對于她的懷疑，都
解剖了去。我現在那裏還有這般勇氣！倘如她

別轉臉兒去呢！

我想把我心中蘊藏着的話語，像暮春的落英般，斑斑點點的，都灑到紙上給伊讀我現在那裏還有這般勇氣！倘如她又責我是無謂呢？

我想即刻握住伊的手，而我的眼淚已小河般瀉下來了，點點滴滴的濺到她的頰上。我現在那裏還有這般勇氣！倘如她祗呆呆的看着我呢？

我再不敢送伊回去了。倘如仍舊踏在我們挽着手走過的路上，電光般的閃光會從我的眼裡射上我腦中，使我昏迷了，而她挨着我身旁，假裝作作不理會呢？

水上

昏黃稀薄的燈光下，心是遼闊，我底心是遼闊而沉迷呵！我坐在她曾坐過的籐椅裏：我沉澱的胸膛，我浮盪的軀殼，我昏迷的神筋，唉！我要死了。上帝祝福我！賜我昏昏沉沉的永遠昏迷過去喲！我也再不想靜美的僧院生活了，靜美的僧院，已替我建設在天堂上。我也再想不起去跳入月夜晶瑩的大海中了；我兩眼已噙了兩個大海，我已在大海中了。啊！迷茫！你看！水花已在我眼前飛濺！

友人喲！不要呼喚我喲！

水上

（四）湖上的伴侶

當月姊兒悄悄的拈着一件銀光閃爍的冰綃之衣，披上沉睡的森林，披上嚴默巉巍的山峯；當月姊兒輕輕地吐出一口氣來，小阿和淺沼都吸動了，林中的夜鶯和水田裏的綠畦都逗醒了：我昨夜夢在湖上，夢見一個清麗的女郎。

我好像披了一件玄色的羽衣，我的一雙眼兒睃着遠遠的深邃的森林，我的鼻兒吸着透明的空氣，我的胸腔好像一個澄明的大海；我舉着大袖，踏着微波，淺步輕揚而上。森林裏的林蔭下忽然流出一朶小小的白雲，不！冉冉的已走出一位森林之女郎呵！伊舉着一握白玫瑰花，遠遠的向我投來。哦！我已跪在地上，我已跪在秋夜茂密的花蔭下的地上，我一身都濺滿晶瑩纖小的荷珠了，伊好像在我耳邊低低的道：「愛喲！這是戀愛之菓呵！好好的珍藏着吧！從每一顆的荷珠中，都藏着另一個的世界，愛喲！你善自探求呵！我永遠是你夢中的伴侶了！」

從此我每晚上都做着同樣的夢，夢和湖上的女郎在湖上挽着手漫遊。我們在夢中每次分別時，伊終把兩隻手放在我的肩上，把頭隈住我的胸腔，低低的道：「那一握的白玫瑰花，是我第一次的贈給可愛的少年，我第一次給你的贈與呵！從每一瓣的白玫瑰花瓣中，都藏着我怯弱，清潔的靈魂，可愛的少年喲！永遠請你噙在口中，噙在眼波上，我永遠是你夢中的伴侶了！』

（完）

花木蘭文化出版社聲明啓事

此次《民國文學珍稀文獻集成》出版，有賴各位作者家屬大力支持，慨然允贈版權，遂使這巨大的文化工程得以開展。我社全體同仁在此向各位致以誠摯的謝意！

由於民國作者人數眾多，年代久遠且戰火頻繁，許多作者已無從知其下落。我社傾全力尋找，遍訪各地，能夠找到的後人，得其親筆授權者，爲數甚寡。更多的情況是，因作者本人下落不明，連版權情況都無從知曉。

因此，我社鄭重聲明：

此叢書所錄專著，凡有在版權期內而未授權者，作者家屬可與我社聯繫，我社願奉送相關贈書 50 冊爲報酬，補簽授權協議。

叢書第一輯，版權不明作者名單如下：

李寶樑、朱采眞、黃俊、汪劍餘、ＣＦ女士（張近芬）、王秋心、王環心、謝采江、曼尼、歐陽蘭、陳勳、沙剎、卜弋雲、陳志莘。

望以上作者之家屬看到此通知後與我社聯繫。

聯繫信箱：hml@vip.163.com

花木蘭文化出版社

2016 年春